DESTRIPANDO LA HISTÖRIA

LOS MAYORES VILLANOS

Papel certificado por el Forest Stewardship Council®

Primera edición con esta cubierta: junio de 2021

© 2018, Rodrigo Septién Rodríguez y Álvaro Pascual Santamera, por el texto
© 2018, 2021, Penguin Random House Grupo Editorial, S.A.U.
Travessera de Gràcia, 47-49. 08021 Barcelona
© Álvaro Pascual Santamera, por las ilustraciones
Diseño de cubierta: Álvaro Pascual Santamera y Mingo Delgado

Printed in Spain – Impreso en España

ISBN: 978-84-204-8778-6
Depósito legal: B-6.631-2018

Compuesto por Javier Barbado
Impreso en Huertas Industrias Gráficas, S.A.
Fuenlabrada (Madrid)

AL 8 7 7 8 A

DESTRIPANDO LA HISTORIA

LOS MAYORES VILLANOS

PASCU Y RODRI

ALFAGUARA

ÍNDICE

DRÁCULA

Drácula

El vampiro más famoso de todos los tiempos, el terror personificado, el vampiro original (no como esos de *Crepúsculo* que brillan. ¿Qué es eso?).

¿Cuántos habéis tenido el trauma infantil de estar en la cama y tener que taparos el cuello con la sábana por miedo a que os muerdan los vampiros? Oh, la sábana… Cualquier niño sabe que nada protege mejor de los vampiros que una sabanita bien puesta.

Drácula: un tío del que se han hecho decenas de adaptaciones cinematográficas, entre las que hay auténticas obras maestras como *Brácula*, impecablemente interpretado por Chiquito de la Calzada, que en paz descanse…, si no se ha convertido en vampiro, como probablemente fuese su deseo. **NO LO SABEMOS**.

13

Pero... ¿de dónde viene Drácula? ¿Es solo un personaje de ficción o existió en realidad? ¿Por qué tiene esas manías tan específicas y sangrientas?

JARL

DIODENJARL

NO PUEDORL

ABRAHAM "BRAM" STOKER

ESTE TÍO

VENGO A POR TI

Si alguien puede destripar esta historia, somos nosotros.

El «Drácula» que todos conocemos es un personaje de ficción creado en 1897 por el escritor irlandés Bram Stoker.

En la novela se dice que es un *székely*, descendiente de tribus guerreras que protegían las fronteras de Transilvania de tártaros (como la salsa) y de otros pueblos de carácter violento.

SALSA TÁRTARA (MU'RICA)

- MAYONESA VAMPIRA
- MOSTAZA VAMPIRA
- ALCAPARRAS NORMALES
- CEBOLLA
- PEPINILLO
- AMOR

Su pasado está envuelto en sombras. Se cree que era un soldado noble y culto, que tenía conocimientos de alquimia y otras ciencias, es decir, un adelantado a su época que no conocía ni el temor ni el arrepentimiento.

Hay quien afirma que se trataba de un príncipe que luchó fieramente contra los invasores turcos, que murió y fue enterrado, pero que volvió de la muerte para reinar desde su castillo acompañado por tres aterradoras novias vampiras.

Probablemente hayáis oído rumores, o incluso visto películas, que dicen que Drácula está enamorado, y eso es lo que le lleva a viajar a Londres para reencontrarse con su amada perdida. Si nos ceñimos a lo que cuenta la novela, a Drácula el amor le trae al fresco. Lo único que ansía es la total y absoluta dominación del mundo.

— ESTÁ BIEN UN RATO
— PUEDEN ROMPERTE EL CORAZÓN
— HAY QUE DAR Y RECIBIR
— REQUIERE GENTE DISPUESTA A AMAR
— PUEDE O NO HABER SANGRE
— ESTAR ETERNAMENTE MALDITO PUEDE SER UN PROBLEMA

— ESTÁ BIEN SIEMPRE
— PUEDES ROMPERLO TODO
— NO HACE FALTA DAR NADA
— REQUIERE MATAR GENTE, TE AME O NO
— HAY SANGRE FIJO
— ESTAR MALDITO ES BRUTAL

¿QUIÉN ERA DRÁCULA EN REALIDAD?

Un gran número de investigadores afirman que se trataba, nada más y nada menos, de Vlad Tepes. Evidentemente, no era un vampiro, pero sí que era un tipo muy chungo. Vlad era un *voivoda* (un príncipe) de Valaquia y se le conoce por una pequeña costumbre que tenía... **LE ENCANTABA EMPALAR A LA GENTE.** De ahí su apodo, Tepes, que en rumano significa «empalador».

VLAD FIRMABA SIEMPRE COMO *Wladislaus Dragulya* . ← REAL

DRACULEA SIGNIFICABA DRAGÓN Y A DÍA DE HOY SIGNIFICA **DIABLO.**

Vlad era algo vengativo. Invitó a cenar a la familia de los asesinos de su padre y su hermano mayor y, tras el postre, ordenó empalar a los más ancianos. A los jóvenes les ordenó reconstruir un castillo hasta que muriesen de agotamiento.

¡A CONSTRUIR!

ME HAGO PIS.

YA ESTAMOS...

También era un hombre organizado y convirtió el empalamiento en un «arte». Le encantaba realizar empalamientos multitudinarios, organizaba a los empalados por rango y creaba formas geométricas. Se dice que empaló a unas 100.000 personas a lo largo de su vida.

ᵉN CÍRCULO

EN CORAZÓN

EN CROISSANT

Tanto aliados como enemigos le temían..., y con razón. Nada dice mejor «ten cuidado conmigo» que una ciudad rodeada por dos anillos de empalados.

Stoker dotó a Drácula de una serie de características y poderes sobrenaturales típicos de vampiros que le precedieron en la literatura y el folclore.

Seguramente no hayáis oído hablar jamás de Varney, el Vampiro. Se trata de una serie de historietas de terror del siglo XIX, de dudosa y a veces inexistente calidad literaria, que narraba las desventuras de un vampiro llamado Varney, que, por no tener, ni siquiera tenía claro si era vampiro o no. Pero, curiosamente, sirvió como referente para muchos vampiros posteriores, como el propio Drácula. Varney mordía a la gente con sus afilados colmillos, los hipnotizaba y poseía una fuerza colosal.

En el siglo XIX, a los románticos les encantaba escribir historias de vampiros, los cuales tenían una curiosa fijación con ir a Londres. Pero, realmente, vampiros ha habido toda la vida y por todo el mundo. En casi todas las civilizaciones antiguas hay mención a seres de características similares a las de los vampiros.

COSAS DE VARNEY

COSA ① SE APALANCA EN CASA AJENA

HOLA.

¡¡FUERA DE MI CASA!!

COSA ② CRISIS EXISTENCIAL

XQ? YORO

XQ TENGO K SER VAMPIRO?

ODIO MI DIDA XQ?

QUIERO SER HUMANO XQ?

NO ME GUSTA LA SANGRE XQ?

SOY VICTORIANO

XQ ELLOS NO ME ENTIENDEN?

COSA ③ SE TIRA AL VESUBIO

En la antigua China se temía, no entendemos muy bien por qué, a los Jiang Shi, unos vampiros zombis **CIEGOS** que estaban tan tiesos que solo podían moverse dando **SALTITOS**. El terror absoluto.

En la tradición hebrea, Lilith, la primera mujer de Adán (la mala), chupaba la sangre de los niños que no estaban circuncidados.

En Chile y Argentina se habla de una criatura conocida como El Cuero, que es nada más y nada menos que un trozo de cuero con dientes y tentaculillos que habita en el agua y se alimenta de animales y de la sangre humana que succiona con su boca en forma de ventosa.

En la mitología griega nos encontramos con la leyenda de Lamia, quien, tras un romance con Zeus (cómo no), sufrió la ira de la diosa Hera, que asesinó a sus hijos y la convirtió en un monstruo que asesinaba a niños y viajeros despistados. Estas cosas eran habituales en Hera, a quien no le gustaban demasiado los escarceos amorosos de su marido Zeus.

Además, los griegos también tenían un vampiro llamado Vrykolakas, conocido en España con el nombre de Brucolaco. Estos seres, al contrario que sus primos eslavos, solo causaban daño emocional.

LAS CARACTERÍSTICAS DE DRÁCULA:

1. BEBER SANGRE HUMANA

La sangre humana es lo único que sacia el hambre de un vampiro. Y si después de morderte te da de beber su sangre, te convertirás en uno de ellos.

2. TELEPATÍA Y CONTROL MENTAL

La única manera de que una persona sensata deje que un ser sobrenatural y asesino de más de 400 años entre en su casa es a base de hipnosis.

3. CONVERTIRSE EN COSAS

Lo tradicional es convertirse en murciélago, pero también puede hacerlo en lobo o incluso en niebla, para mayor discreción.

4. CONTROL SOBRE SERES REPULSIVOS

Los hámsteres, las mariposas o los gatitos no valen. Tienen que ser cosas que den asco, como él, que tiene pelo en las palmas de la mano.

5. LA LUZ DEL DÍA LE DESTRUYE

Drácula es un ser impuro, y no hay nada más puro que la luz. Por eso duerme durante el día, para evitar cualquier contacto con ella.

6. DUERME EN UN ATAÚD

Manías suyas... Hay gente a la que le gusta dormir en la bañera, y a él le gusta dormir en una caja.

7. LOS CRUCIFIJOS Y LOS AJOS LE MANTIENEN A RAYA

¡Con lo rico que está el ajo! Se dice que el agua bendita también es útil contra él. Si no funciona, te la bebes y al menos te refrescas.

*NOTA: ESTE ES EL ASPECTO REAL DE PASKU UN 99% DEL TIEMPO

8. NO SE REFLEJA EN LOS ESPEJOS

Ha llegado el momento de que te preguntes cómo es posible que siempre vaya bien peinado.

9. ES DIFÍCIL DE MATAR

Solo puede morir si se le clava una estaca en el corazón o se le decapita, o ambas a ser posible.

21

ATILA

ATILA

Atila fue un **REY DE LOS HUNOS** que asoló Europa durante el siglo v. La gente le temía y le demonizaba. Se dice que allá donde iba no volvía a crecer la hierba.

Hacía huir a las tribus bárbaras y consiguió que el Imperio romano temblara con solo oír su nombre.

Los hunos fueron un pueblo que apareció como de la nada y arrasó con gran parte de la meseta húngara. Provenían probablemente de Mongolia, y eran **NÓMADAS Y GUERREROS**. Tienen fama de ser poco amables, además de crueles y vengativos. Pero hay que entender que, ya que no estaban por la labor de dejar escribir lo que hacían, alguien debía contar su historia; y los que mejor la contaron fueron **SUS ENEMIGOS, LOS ROMANOS**.

GUÍA PARA SER HUNO, SEGÚN AMIANO MARCELINO (UN SEÑOR ROMANO):

1. SER FEROZ Y ATERRADOR

No solo eran feroces y aterradores, sino que ni siquiera distinguían el bien del mal.

COMO NO DISTINGUEN BIEN Y MAL LOS PROFES HUNOS SIEMPRE TE PONEN UN CINCO EN EL EXAMEN.

2. CORTARTE LA CARA Y TAMBIÉN LA DE TU BEBÉ

A los niños recién nacidos les hacían una serie de cortes en la cara para que se fueran acostumbrando a su vida como un huno despreciable y asesino. También se cortaban la cara en señal de duelo, con tal de no llorar...

¡¡ANIMAL!!

UN HUNO NO LLORA

¡RODRI!¡EL HUNO SE ESTÁ CORTANDO LA CARA!

QUE NO SALPIQUE LA MESA

AMIANO MARCELINO

3. TENER LA CABEZA COMO UN CONO

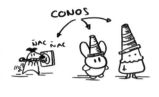

Tenían la costumbre de deformar los crá-
neos de los bebés con una correa de cuero,
en plan cabeza-conos.

4. SER FEO Y RECHONCHO

Literalmente: «Tienen el cuerpo rechoncho, los miembros
robustos y la nuca grosera. Su anchura de espaldas los con-
vierte en terroríficos. Se diría que son animales bípe-
dos o figuras de madera mal tallada». Pobres hunos, les van a hacer llorar, y ya
sabemos lo que pasa si lloran.

5. COMER COSAS CRUDAS

A los romanos, esto les parecía
una barbaridad. Especialmente
el tema de guardar la carne cru-
da bajo las sillas de montar.

Seamos claros, los romanos consideraban mala idea cualquier cosa
que no hicieran ellos, pero eso no signifi-
ca que ellos fuesen geniales y los bárbaros unos monstruos. Sí, los hunos
cocinaban su carne con la sal que
sudaba su caballo creando una
versión primitiva del *steak tartar*;

pero, por otro lado, los propios romanos comían un queso podrido con gusanos y no pasaba nada.

6. DORMIR AL FRESCO

No tenían refugios ni hogares. Se cubrían con telas o pieles de rata para abrigarse y, además, no tenían una ropa de trabajo y otra de andar por casa; se ponían su túnica y no se la quitaban hasta que se les caía de vieja. Pobres hunos, no estaban al tanto de las modas en Roma. Eran nómadas y usaban tiendas de campaña (pero a veces dormían al fresco). Aunque, como veremos más adelante, el propio Atila tenía un palacio con baño y todo.

7. CREERSE UN CENTAURO

Vivían encima de su caballo. No bajaban ni para comer ni para beber, e incluso podían dormir montados.

Pero vamos a centrarnos en nuestro protagonista. Es difícil describir a **ATILA** con exactitud, ya que los hunos dejaron más bien pocos restos arqueológicos, pero existe una descripción del historiador Prisco de Panio.

Este le define como un hombre nacido para agitar la civilización. Un tipo de andar arrogante y mirada nerviosa. Bajito, cabezón, de ojos rasgados y pequeños y barba espesa y gris. Tenía la piel morena y la nariz aplanada, haciendo evidente su origen mongol.

SOLUCIÓN: C). AUNQUE a) TAMBIÉN VALE, PORQUE EL CONEJO PUEDE SER LO QUE QUIERA.

Atila era el hijo de Mundzuk, el hermano de los reyes Rugila y Octar. Entre los hunos era costumbre tener dos reyes. Imaginadnos a nosotros,

Pascu y Rodri, reinando en una tribu de guerreros a caballo. Pues eso, un éxito total.

Cuando murieron Rugila y Octar, Atila y su hermano Bleda se aseguraron de subir al poder (probablemente matando al resto de herederos).

A partir de aquí Atila empezó a liarla pardísima, pero antes veamos cómo estaban las cosas en Europa en esos momentos.

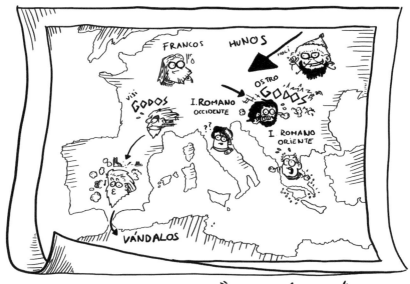

APROXIMACIÓN "HISTÓRICA"

Los hunos llegaron a finales del siglo IV con muchas ganas de marcha. Si bien numerosas tribus y naciones bárbaras ya estaban migrando hacia el Imperio romano (entonces estaba dividido en dos) a causa del frío y la falta de entretenimiento por el norte, imaginad que además aparece una horda de gente cabeza-cono montada a caballo y disparando flechas, a la que le da igual que seas romano, visigodo, alano, o la madre que te parió.

Los bárbaros tenían dos opciones: a) someterse a los romanos para que los protegiesen; o b) enfrentarse a los hunos.

Por supuesto, existía una tercera opción: c) invadir territorios romanos para alejarse de los hunos. Y así fue como los hunos se convirtieron en una gran mafia que dominaba toda la llanura de Hungría.

Los romanos pensaron: «Oye, ¿por qué no sacar partido de los hunos, ya que estamos aquí?». Y decidieron contratarlos para que los defendieran de los bárbaros que los invadían.

Esto creó una situación un poco confusa: los romanos se creían que estaban pagando un servicio a los hunos, mientras que los hunos se creían que los romanos les estaban pagando un tributo, rollo mafia.

EL REINADO DE ATILA

Atila pactó con Roma a cambio de pasta, pero, como también le salía rentable, empezó a asaltar las caravanas comerciales romanas que se suponía que protegía. Los romanos, evidentemente, dejaron de pagarle el tributo, y la broma esta se convirtió en una guerra abierta entre romanos y hunos.

Los hunos no tenían problema en saquear una ciudad tras otra. ¡Las murallas les daban igual! Desarrollaron una tecnología de asedio que los hacía imparables: con sus arietes simplemente tiraban las paredes abajo. Arrasaban, saqueaban y pasaban a otra población.

Una de las actuaciones más sangrientas de Atila fue en la Galia. Se dice que mató a 20.000 bárbaros burgundios, arrasó su pueblo, los mutiló y los empaló. Es que no le gustaba dejar las cosas a medias.

Atila se dedicó a arrasar iglesias y poblados por la Galia, hasta que sus atrocidades llevaron a los romanos a aliarse con los godos para plantarle cara, y Atila tuvo que retirarse de la batalla. En Roma se celebró como una victoria, pero el coste en vidas fue muy alto. Una curiosidad: tras esta batalla, el general romano Aecio empezó a hacerse tan popular que el emperador Valentiniano lo apuñaló por mera envidia. ¡Pero los bárbaros eran los otros!

El Imperio romano de Oriente tampoco se libraba; Atila siempre estaba en guerra con unos o con otros. El emperador Teodosio, ante la imagen de un ejército de hunos frente a las murallas de Constantinopla, pidió la paz, la cual le salió muy cara. Básicamente, si Atila necesitaba dinero se plantaba en las puertas de Constantinopla y se lo daban.

Los romanos ya no sabían qué hacer. Perdían una batalla tras otra y ponían siempre la excusa de que los hunos eran un millón, aunque realmente no debían de ser más de 40.000. Eso sí, eran grandes guerreros. Usaban una técnica que a los romanos les pillaba por sorpresa: redes y lazos. ¿A quién se le hubiese ocurrido?

Supuestamente, el ansia de poder de Atila llegó tan alto que mató a su propio hermano, Bleda, aunque la historia dice que murió cazando.

Un día, Honoria, la hermana del emperador Valentiniano, tuvo la magnífica idea de escribir a Atila, el hombre al que todos temían, enviándole su anillo de compromiso para pedirle que la ayudase a cancelar su inminente matrimonio de conveniencia. Atila no era un hombre de sutilezas y asumió que le pedía matrimonio, lo cual aceptó gustoso. Y, de paso, se pidió la mitad del Imperio romano como regalo de boda.

A Valentiniano por poco le da un ataque cuando se enteró, y casi mata a su hermana. Escribió raudo a Atila diciéndole que **DE BODA NADA.** Atila, educadamente, le contestó que **ESO HABRÍA QUE VERLO.**

Pero, **OH, DRAMÁTICO GIRO DE LOS ACONTECIMIENTOS,** de camino y tras una larga noche de borrachera (¿¿su despedida de soltero??), Atila empezó a desangrarse y murió. Muchos dicen que fue debido a los excesos, aunque otros dicen que el emperador romano de Oriente envió espías a envenenarle. Nunca lo sabremos.

Los hunos se dispersaron y fueron mezclándose con la gente de Europa del este. Aunque no está claro, se piensa que sus descendientes son los *székely*, de los que os hablamos en el capítulo de Drácula. Como veis, en este libro está todo pensado para que no te puedas saltar ni un capítulo.

HITLER

¿Quién no conoce a Adolf Hitler? Un gran villano, temido incluso entre los suyos, cuya ansia de poder llevó a Europa a la Segunda Guerra Mundial y cuya ideología genocida mató a más de 70 millones de personas.

Pero, aparte de ser un señor gruñón con un bigote hortera, ¿quién era Hitler? ¿De dónde salió este tío y cómo consiguió llegar al poder?

Para empezar, por si no lo sabíais, Hitler no era alemán. Nació en Braunau am Inn, una pequeña ciudad austríaca, bueno…, en lo que antes era el Imperio austrohúngaro.

Su padre, Alois, era agente de aduanas y su madre, Klara, fue su criada durante un tiempo. Él estaba casado, se separó y se casó con otra criada, con la que tuvo dos hijos. Entonces, ella hizo que echaran a Klara porque la consideraba una amenaza para su relación... Y tenía razón, porque, cuando murió, Alois y Klara se casaron.

Como veis, la historia era un poco especialita. Pues bien, ahora sumadle **QUE ADEMÁS ERAN PRIMOS.**

Adolf, su tercer hijo, era buen estudiante de niño, pero en cuanto llegó a su juventud, ahhh, amigo, eso ya era otra cosa. Estudiar no era lo suyo. Él quería ser pintor.

Acabó dejando la escuela y pasó tres años de risas con su colega August Kubizek, sin buscar trabajo ni nada. A pesar de no dar palo al agua, la verdad es que leía mucho y le apasionaban la pintura y la arquitectura. A los 17 años viajó a Viena para presentarse a la academia de bellas artes, pero no le admitieron al considerar que no tenía talento suficiente. Lo intentó otra vez, pero acabó trabajando de lo que pillaba, viviendo en un hostal y yendo a comedores de indigentes para sobrevivir. Finalmente, empezó a vivir a base de vender cuadros.

Por aquel entonces ya tenía ideas un poco chungas. No le convencía Viena, porque consideraba que había demasiadas razas y culturas, y, al parecer, esa mezcla le causaba repugnancia. Puede que este fuese el comienzo de su ideología racista, aunque su amigo August decía que ya estaba de la olla desde mucho antes.

Intentó evitar hacer el servicio militar en Austria, porque no quería servir junto a eslavos y judíos. Pobre animalico, era todo drama. Al final fue declarado no apto para prestar el servicio militar.

Pero, en cuanto estalló la Primera Guerra Mundial, el tipo se presentó voluntario superfeliz en el ejército alemán, donde sí le admitieron. Incluso fue ascendido a cabo, aunque curiosamente no le ascendieron más porque consideraron **QUE NO POSEÍA DOTES DE MANDO**, además de ser «peligrosamente psicótico» y un «histérico».

Al poco de terminar la guerra, fue atrapado en un ataque de gas venenoso británico y se quedó temporalmente ciego. Mientras estaba en el hospital se enteró de que Alemania iba a deponer las armas y que se había perdido la guerra. Esto le sentó fatal y, años más tarde, él mismo expresó metafóricamente que al quitarse la venda que cubría sus ojos descubrió que el objetivo de su vida era lograr la **SALVACIÓN DE ALEMANIA**. Y con salvación probablemente se refería a lo que después llamaron «Nuevo Orden», que consistía en el control de Europa por «la raza europea». Como veis, el tema de las razas definitivamente no lo llevaba bien.

Como estaba muy enfadado con la situación en el ejército, pidió el traslado y se convirtió en una especie de espía. Su principal tarea era erradicar «ideas peligrosas» como la democracia, el socialismo y el pacifismo entre sus propias filas. Ideas horribles todas.

Le encargaron investigar al Partido Obrero Alemán, pensando que eran unos sucios socialistas, pero cuando llegó descubrió que eran gente de su rollo, y hablando con un tal Anton Drexler decidió unirse al partido.

Como gritaba mucho, a la gente le llamaba la atención. Además, a Adolfito no le gustaba que le interrumpiesen cuando hablaba, así que llamó a sus amiguetes del ejército para que fueran a los mítines del partido a darles un toquecito de atención a los que no estuviesen de acuerdo con ellos.

El mismo Hitler los lideró para pegar una paliza a unos de un partido político rival y pasó tres meses en la cárcel. No se arrepintió; al contrario, al salir tenía más claro que nunca que lo mejor que podía hacer contra sus rivales era usar la violencia.

El partido empezó a estar un poco asustado de Hitler, así que aprovechando que se iba de viaje hablaron a escondidas con otros partidos más moraditos con el fin de fusionarse y llevar una vida más tranquila.

Hitler se enteró, volvió a Múnich, acabó echando a Drexler y se convirtió en líder indiscutible en el Partido Nazi.

Hitler no estaba de acuerdo con algunas cosillas que hacía el Gobierno, así que se le ocurrió la brillante idea de secuestrar a altos cargos para convencerlos de sus ideas. Acabó en la cárcel y el Partido Nazi fue prohibido. Éxito absoluto. Durante su cautiverio empezó a recibir cartas de fans y escribió un libro, *Mein Kampf*, un top ventas.

Cuando salió, le prometió al primer ministro que se iba a portar bien, y legalizaron de nuevo el partido.

Pero como Adolfo no podía contenerse, al poco tiempo ya empezó a amenazar al Estado y a los judíos, así que le prohibieron dar discursos otros dos años.

A pesar de todo esto, con Hitler encargándose de la propaganda y la organización, el Partido Nazi se convirtió en la segunda fuerza política y él terminó consiguiendo que le nombraran canciller (jefe de Gobierno) de Alemania.

Pensaban que le controlarían, pero no. Durante su gobierno acabó ejecutando a muchos de los que le ayudaron, metiéndolos en campos de concentración, o acabaron huyendo al exilio para salvar sus vidas. Nunca dejaba de ser un angelito.

Los nazis se dedicaron a prohibir lo que no les gustaba y a castigar las ideas contrarias, hasta que acabaron prohibiendo directamente la oposición. Como veis, de tontos no tenían ni un pelo. Un año después de ser nombrado canciller y tras la muerte del presidente, Hitler se autoproclamó ya no solo canciller imperial, sino también **LÍDER** (*Führer*), convirtiéndose en lo más *powerful* de Alemania.

Amplió el ejército alemán pese a que tras la Primera Guerra Mundial, con el Tratado de Versalles, Europa le había limitado el número de efectivos. Aunque Inglaterra y Francia no estaban muy convencidas, parece que nadie fue capaz de prever lo que iba a suceder.

Y como era de esperar, tras esto comienza la Segunda Guerra Mundial, que no nos vamos a poner a explicar porque entonces tendríamos que sacar otro librito donde quepa todo como anexo a este, y en la editorial no nos dejan.

(APARTE DE MATAR A MUCHA GENTE)

> Y SI ME HUBIESEN DEJADO HABRÍA HECHO HASTA ACONDICIONADOR.

1. HACER JABÓN CON GENTE

No solo exterminaba a los judíos, sino que con su grasa hacía un jabón que por supuesto solo usarían en los campos de concentración.

2. SECUESTRAR AL PAPA

Dios le caía mal, y el papa también. Eran más importantes que él, ¡y eso no podía ser! Intentó mandar al general de las SS a secuestrar al papa, pero la cosa no siguió adelante.

> ¡QUÉ PASOTE DE UNIFORME!

3. CREAR BEBÉS NAZIS PERFECTOS

Lebensborn fue un proyecto en el que se promovía la reproducción selectiva y se intentaba impulsar el crecimiento de bebés arios y bonitos, con un cuidado médico excelente.

> ¡QUÉ BEBÉS MÁS MONOS!

MINI HITLERS

4. CRIAR CONEJOS

Criaban conejos de angora gordos para hacer las chaquetas de la aviación. Vivían en los campos de concentración como si estuviesen en un hotel de cinco estrellas y al final, claro, les daba penita matarlos.

5. TIRARSE PEDOS

Hitler tenía un serio problema de flatulencia crónica y el pobre lo pasaba muy mal. El karma estaba mandándole una indirecta por las cámaras de gas.

6. BUSCAR EL ARCA PERDIDA

No sabemos muy bien por qué, pero al final el plan le salió mal, hubiese estado Indiana Jones o no.

7. AMAR A LOS ANIMALES

A los seres humanos les podían dar morcillas, pero a los animales había que tratarlos bien. Incluso hizo una ley para que no se hirviesen vivas las langostas.

Cuando los alemanes estaban a punto de ser derrotados en la batalla de Berlín, Hitler se casó con su antigua amante, Eva Braun. Casi al día siguiente, se suicidaron juntos antes de que el ejército rojo penetrara en el búnker donde se encontraban. Es más, antes de suicidarse dio orden de que incineraran sus cuerpos y, a día de hoy, solo se conserva «un supuesto cráneo de Hitler», del que estudios recientes han concluido que se trata en realidad del cráneo de una mujer de unos 40 años..., así que vete tú a saber si realmente se conserva algún resto o no.

EL LUNES

EL LUNES

Este sí que es un villano, pero de los de verdad. El malo malísimo al que tenemos que enfrentarnos cada semana tras dos días de merecido descanso. La vuelta al colegio, a la universidad, al trabajo... Con lo bien que se estaba durante el fin de semana.

¿Sabías que los lunes son los días en los que se registran más infartos? ¿No? Pues eso.

Los lunes son la vuelta a la presión, la rutina, el estrés... Y ya no es solo por los infartos, sino que también hay más tráfico, más accidentes, y se rinde menos en el trabajo.

51

EL OBJETIVO ES TRABAJAR SOLO EL 29 DE FEBRERO.

En definitiva, lo mejor sería que los lunes se dejase de trabajar, porque está claro que no es un día productivo. Si el martes fuese el nuevo lunes, se convertiría en el día de la presión, estrés, infartos, etc., por lo que habría que dejar de trabajar también.

Si lo planeamos bien, podemos dejar de trabajar para siempre, ojito...

Pero, oh, queridos amigos, si odiáis o tenéis miedo a los lunes, debéis saber que no estáis solos, y que tampoco es algo para tomarse a broma.

Si este terrible villano genera en ti síntomas como taquicardia, ansiedad, problemas de estómago o dificultad para dormir los domingos, debes saber que tu problema tiene un nombre: **DEUTEROFOBIA**.

Sí, así se llama el miedo a los lunes. Si cada vez que se acerca ese día tienes estos síntomas, no dudes en pedir ayuda. Por si sirve de algo, nosotros os recomendamos escuchar o ver nuestros

CUIDADO, LOS LUNES HUELEN EL MIEDO.

SNIFFF

vídeos por la mañana, para empezar la semana con una amplia sonrisa y una buena dosis de energía.

Ya que estamos aquí, vamos a hablar un poquito sobre por qué el lunes se llama lunes, y ya lo dejamos, prometido.

La palabra «lunes» proviene del latín *Lunae*, que significa «luna».

En su día, los romanos decidieron nombrar los días de la semana en referencia a los siete planetas de la astronomía clásica: el Sol, la Luna, Mercurio, Venus, Marte, Júpiter y Saturno.

Cada día estaba asociado a un dios y el orden era: Helios (el Sol), Diana (la Luna), Marte, Mercurio, Júpiter, Venus y Saturno.

Ahora tu pequeña mente está implosionando pensando: «Marte... **¡MARTES!** Mercurio... **¡MIÉRCOLES! ¡¡QUÉ FUERTE!!»**...

... o no, quién sabe.

Los pueblos germánicos acabaron adaptándose a este sistema, pero, claro, ellos no querían saber nada de los dioses romanos, así que los cambiaron por los suyos y listo.

Hasta aquí este maravilloso capítulo. Es domingo, a las 17:18 de la tarde, y mañana es lunes. Socorro.

JACK EL DESTRIPADOR

EL TIEMPO
MUCHA
LLUVIA

EL CONEJO POST

EDICIÓN
NOCTURNA

VOL. XCII No CCCXIII   VIERNES, 9 NOVIEMBRE, 1888   10 PÁG

"JACK el DESTRIPADOR"

Tiene algo de gracia que vayamos a destripar a Jack el Destripador, pero bueno, allá vamos.

Jack el Destripador fue el nombre dado a un asesino en serie al que se le atribuyen al menos cinco homicidios. ¿Dónde? En el barrio londinense de Whitechapel. ¿Cuándo? En 1888. Se le llamó así porque, en fin, destripaba..., entre otras cosas.

Su *modus operandi* se caracterizaba por hacer cortes en la garganta, mutilar las áreas genital y abdominal, extirpar órganos y desfigurar el rostro de mujeres que se dedicaban a la prostitución.

Pese a que se investigó a más de cien sospechosos, nunca le atraparon, y Jack se ha convertido en un personaje de sobra conocido por todos a través de obras literarias, artísticas y cinematográficas.

Pero, antes de seguir destripando a nuestro amigo Jack, vamos a ver cómo estaban las cosas en Londres por aquella época.

Londres era una ciudad con sobrepoblación debido a la llegada de inmigrantes irlandeses y de refugiados judíos del este de Europa y de Rusia. Esto hizo que faltase el empleo y bajara con ello la calidad de vida. Esto, a su vez, derivó en un incremento de una clase baja en la que la pobreza, el crimen, el alcoholismo o la prostitución eran algo habitual. ¿Os suena *Oliver Twist*? Pues peor.

El barrio de Whitechapel en concreto tenía muy mala reputación debido a casos de antisemitismo, racismo, delincuencia, etc. Vamos, que era una zona chunga. Y si ya era un sitio por el que intentabas no pasar, imaginad a partir de la aparición de Jack, cuando la prensa no paraba de hablar de todas las cosas asquerosas que hacía.

Y ahora que ya sabemos a qué barrio no tendríamos que mudarnos si viajásemos en el tiempo al Londres de 1888, sigamos...

¿DE DÓNDE VIENE SU APODO?

La policía metropolitana de Londres, conocida como Scotland Yard, imputó solo cinco asesinatos al mismo individuo, pero hubo seis crímenes más que se incluyen entre los llamados «asesinatos de Whitechapel».

El 25 de septiembre de 1888, la Central News Agency (servicio de distribución de noticias que existía por aquel entonces) recibió una carta de un señor que, además de reírse de la investigación, afirmaba ser el autor de las muertes que habían tenido lugar en el anterior mes de agosto. Esa carta iba firmada con el pseudónimo de «Jack el Destripador». Tras su publicación en la prensa con la esperanza de que alguien reconociese su letra, ese nombre empezó a utilizarse para nombrar al misterioso asesino.

¿QUIÉN FUE JACK EL DESTRIPADOR?

En aquella época se decía que debía de ser alguien que viviese en Whitechapel y con un empleo estable, ya que los crímenes ocurrían en fin de semana y en calles cercanas entre sí.

También se pensó que podía ser un hombre culto y de clase alta procedente de un barrio más de bien, aunque hay quien da por hecho que estas suposiciones se deben a los estereotipos culturales, como el temor a los médicos, a la ciencia o la explotación de los pobres por los ricos.

Con el tiempo, ya se incluía en la investigación a cualquiera que estuviera remotamente vinculado con el caso, pero nada, nunca se pudo procesar a nadie debido a la falta de evidencias.

Hubo más de cien sospechosos e, incluso actualmente, ante la escasez de pruebas, contradicciones entre las fuentes y los inconcluyentes análisis de ADN…, se sigue sin tener claro el nombre real de este misterioso asesino.

En los últimos años ha habido algunos descubrimientos sobre el verdadero autor de estos crímenes, aunque la verdad es que esto se ha convertido en prácticamente algo habitual por parte de los «ripperólogos». Efectivamente, Jack the Ripper, como se llama en Inglaterra, tiene fans y se los conoce en inglés como *ripperologist*.

En 1992, durante unas reparaciones en una casa conocida como Battlecrease House en Liverpool, se encontró un diario oculto bajo las tablas del suelo de la habitación donde dormía un tal James Maybrick, uno de los principales sospechosos del caso.

Este diario estaba firmado con el apodo de Jack el Destripador y contaba muchos detalles sobre los crímenes.

Pero quienes lo encontraron daban versiones ligeramente diferentes sobre su descubrimiento e incluso uno llegó a firmar una declaración jurada de que el documento era falso, aunque luego se retractó.

¿Es probable que James Maybrick fuese Jack el Destripador? Pues puede ser.

Años después ha habido otro sospechoso que ha cogido fuerza como la auténtica identidad tras el asesino: Aaron Kosminski.

Nuevamente, un señor un poquito obsesionado con estos crímenes, tras comprar una prenda que pertenecía a una de las víctimas de Jack el Destripador, encargó una prueba de **ADN** de la misma. En ella se encontró **ADN** de dos personas distintas, el de la víctima y el del presunto asesino. Tras compararlo con el de los descendientes de varios sospechosos, hubo una coincidencia de más de un 99 % con una pariente de la hermana de Kosminski.

¿Es probable que Aaron Kosminski fuese Jack el Destripador? **PUES TAMBIÉN PUEDE SER.**

Como veis, esto no hay por dónde cogerlo. Por suerte no somos ni investigadores ni ripperólogos, y tampoco se nos va la vida en saber quién era realmente Jack el Destripador.

Eso sí, esperamos que os haya quedado claro que era un señor muy malo.

CARACTERÍSTICAS 100 % REALES Y NADA CONTRADICTORIAS DE JACK EL DESTRIPADOR:

ES POBRE →

HUELE A CHOTO

1. ES POBRE

Vive y trabaja en un barrio chungo, tiene que ser pobre.

ES RICO →

HUELE GUAY

2. ES RICO

Los doctores, aristócratas o científicos no son de fiar, tiene que ser rico. Los ricos matan a pobres.

TÍO, ESCRIBES CON EL ANO...

LE MATO

3. SU LETRA SE PARECE SOSPECHOSAMENTE A LA DE UN PERIODISTA

Al que no le iba bien en su trabajo.

4. ES JUDÍO POLACO

Su ADN coincide al 99 % con el de la prima del hijo de la segunda mujer del yerno de la hija de su hermana. Es claramente judío.

5. ES INGLÉS

Es el hijo primogénito de una familia acomodada de Liverpool, lo dice un diario. Es claramente inglés, no cabe duda.

OTRAS OPCIONES:

1) ES PASCU

2) ES RODRI

3) ES TU ABUELA

TAMBIÉN HAGO CALCETA Y TEATRO MUSICAL.

6. DESTRIPA

Entre otras cosas.

7. LLEVA BIGOTE

En aquella época era muy típico llevar bigotillo, así que es muy probable que tuviese bigote.

8. NO LLEVA BIGOTE

Nunca se sabe. Hay quien va en contra de las tendencias y ese es, en cierto modo, quien crea tendencia.

ERZSÉBET BÁTHORY

Báthory

La condesa Erzsébet Báthory de Ecsed fue una aristócrata proveniente de una de las familias más poderosas de Hungría. Dice la leyenda que fue una cruel asesina en serie obsesionada por la belleza y que utilizaba la sangre de sus sirvientas para mantenerse joven. Tiene el dudoso honor de ser considerada la mujer que más ha asesinado de la historia, con más de 600 muertes. Su amor por la humanidad ha hecho que sea conocida como la «Condesa Sangrienta».

Antes de seguir hablando de todas las obras de caridad que hizo esta mujer, debemos decir que, según algunos, sus crímenes pudieron ser invenciones de sus enemigos. Evidentemente, estas opiniones no nos interesan. Aquí hemos venido a buscar sangre, muerte y destrucción.

Isabel, Elizabeth o Erzsébet Báthory, como queráis llamarla, nació en el seno de una de las familias más ricas de Transilvania, los Erdély. ¡Su tío era nada menos que príncipe de Transilvania y rey de Polonia!

A los once años fue prometida con su primo Ferenc, de dieciséis años, y pronto se mudó a vivir en su castillo junto a su suegra, que, cumpliendo el cliché, no le caía nada bien. Allí recibió una buena educación, algo raro en la época. Hasta el príncipe de Transilvania era prácticamente analfabeto, mientras que ella hablaba perfectamente tres idiomas y sabía leer y escribir.

PERO QUÉ NIÑA MÁS BONITA.

ME DA USTED ASCO.

SUEGRA

A los quince años, Isabel se casó con Ferenc y se fueron a vivir a otro castillo mucho más chuli. El chavalín no pasaba demasiado tiempo en casa. Lo normal es que estuviera por ahí combatiendo en alguna guerra, empalando a sus enemigos. Sí, por alguna razón los villanos tienen una seria obsesión con esto de empalar a la gente.

ME VOY CON ESTOS A EMPALAR UN RATO.

ARGH

Existen unas cartas en las que Ferenc e Isabel intercambiaban información sobre las mejores maneras de castigar a sus sirvientes, algo normal por allí donde vivían. Sus territorios eran enormes y, claro, no hay nada mejor para mantener el control sobre la población que empalar a alguien de vez en cuando. Su fiereza valió a Ferenc el apodo de «Caballero negro de Hungría».

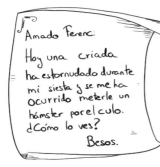

RETRATO DE FAMILIA

Tenían cuatro hijos, todos preciosos y potenciales empaladores, y vivieron felices hasta que Ferenc murió súbitamente, dejando viuda a Isabel con 44 años.

La pobre se quedó muy sola, sin ejército con que proteger su territorio y metida en una situación política muy complicada. Lo primero que hizo fue echar por fin a su suegra y demás parientes de su castillo. Sus sirvientas fueron castigadas (claro). Es entonces cuando empiezan los rumores de que algo siniestro ocurre en el castillo de Isabel.

LOS CRÍMENES DE LA CONDESA

Se dice que todo empezó cuando una de sus sirvientas adolescentes le dio un tirón de pelo mientras la estaba peinando. La condesa le propinó un bofetón considerable, haciendo que la doncella sangrase por la nariz.

Cabe mencionar que este castigo fue algo bastante suave, ya que lo normal entonces era que la hubieran llevado al patio para recibir cien bastonazos. Pobre chica, pensaba que se había librado y no se imaginaba lo que la esperaba.

La sangre salpicó la piel de Isabel, y a esta le pareció que allí donde había caído desaparecían las arrugas y rejuvenecía su piel. Tras consultar a sus brujas y alquimistas, con la ayuda de su mayordomo y otra sirvienta, a la que llamaremos La Montaña porque se parecía al tipo de *Juego de Tronos*, degollaron a la joven y vertieron su sangre en un barreño. Isabel se bañó en la sangre y hasta se dice que la bebió, para así recuperar su juventud.

LA DE ANTES

No saciada con esto, comenzó a sacrificar a jóvenes y más jóvenes durante años. Eso sí, se molestaba en procurar a las víctimas entierros cristianos respetables, para que nadie sospechase nada. Pero claro, en cuanto el cura vio que no le daba ya el calendario para enterrar a todas las chicas que morían misteriosamente, empezó a sospechar. Entonces, Isabel comenzó a enterrar en secreto a sus víctimas.

¿No EMPIEZA A HABER MUCHO MUERTO AQUÍ?

NO SÉ A QUÉ SE REFIERE...

Con los años fue ampliando su repertorio de tortura, tomando la costumbre de quemar a algunas sirvientas con velas, carbón o hierros al rojo vivo por pura diversión. Como todo eso del barreñito daba mucho trabajo, empezó a beber la sangre directamente mordiendo a las chicas mientras su fiel y delicada sirvienta, alias La Montaña, las sujetaba. Por cosas como esta es por lo que ha servido de gran inspiración en la literatura vampírica, apareciendo incluso como personaje en *Drácula, el no muerto*, secuela de la famosa novela de Bram Stoker (pero escrita por su sobrino-bisnieto).

Al tiempo dejó de haber sirvientas en la zona, pues se las había bebido a todas, así que comenzó a tomar a niñas y

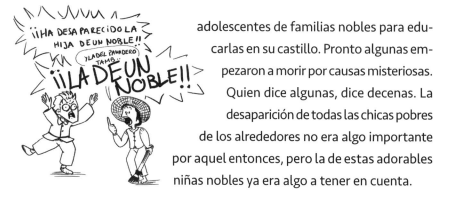

adolescentes de familias nobles para educarlas en su castillo. Pronto algunas empezaron a morir por causas misteriosas. Quien dice algunas, dice decenas. La desaparición de todas las chicas pobres de los alrededores no era algo importante por aquel entonces, pero la de estas adorables niñas nobles ya era algo a tener en cuenta.

Cuando los hombres del conde Jorge, primo y enemigo de Isabel, llegaron al castillo de esta, no hallaron resistencia. Lo primero que vieron fue a una sirvienta en el cepo del patio, al borde de la muerte debido a una paliza. Como esto era algo normal, pasaron de largo a ver qué más encontraban. Fue entonces cuando hallaron a una chica desangrada en el salón y a unas cuantas más que aún estaban vivas en las mazmorras.

En los terrenos del castillo encontraron los cuerpos de 50 jóvenes más y hasta un diario en el que Isabel contaba sus crímenes con todo lujo de detalles.

Dado que era noble, no podía ser juzgada, pero su mayordomo y el resto de ayudantes sí. Todos fueron declarados culpables de brujería o de asesinato. Como era costumbre, fueron decapitados y sus cadáveres quemados.

Isabel fue encerrada en su castillo. Sellaron puertas y ventanas y dejaron solo un pequeño orificio para pasar la comida. Acabó muriendo tras cuatro años sin haber visto la luz del sol.

Como veis, parece bastante probable, por lo exagerado de los hechos, que parte, o todo, fuese una invención de sus enemigos. Hoy en día, los Archivos Nacionales de Hungría conservan abundante documentación sobre Isabel, incluyendo cartas y actas del juicio. Eso sí, de ese supuesto diario donde lo confesaba todo no hay ni rastro.

Guía de Requisitos para ser Conde

CON UNA NOTA VALE.

1. SER NOBLE

No creemos que haga falta una explicación para esto. O lo eres o no.

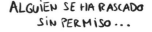

ALGUIEN SE HA RASCADO SIN PERMISO...

2. CASTIGAR CORRECTAMENTE A TUS SIRVIENTES

Un poco de violencia nunca viene mal para que les quede claro su lugar, pero cuanta más..., mejor.

Jo.

3. ESCRIBIR CARTAS ROMÁNTICAS

No hay nada más romántico que escribirle a tu pareja para discutir si 50 bastonazos son suficientes para dejarle claro al cocinero que el pollo no estaba en su punto.

Echo de menos ver cómo tiras a los criados por la ventana. Te amo♡

4. TENER UN CASTILLO

Es importante que disponga de mazmorra para encerrar a quien no te caiga bien.

¡O DOS!

CASTILLO DE VIVIR

CASTILLO DE MATAR

76

5. TENER UN MAYORDOMO FIEL

También es un requisito indispensable si eres rico y quieres ser Batman.

6. SENTIRSE SUPERIOR

Es evidente que lo eres, pero lo más importante es dejárselo claro a esos plebeyos de mierda.

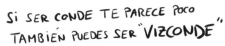

7. CASARSE POR CONVENIENCIA

No hay nada más romántico que un buen matrimonio a los 11 años. Si, además, te casas con alguien de tu familia, ganas puntos de nobleza extra.

8. LUCHAR EN LA GUERRA

Es importante haber ganado al menos una guerra contra algún enemigo de la zona. Si, además de ganar, empalas a los supervivientes, mejor todavía.

EL BRÓCOLI

EL BRÓCOLI

Aquí estamos, una vez más dispuestos a hacer un capítulo totalmente absurdo con el objetivo de alejarnos un rato de tanta muerte y destrucción. Aunque precisamente muerte y destrucción es lo que siembra más de un niño cuando se le obliga a comer brócoli. Rodri de pequeño era uno de esos niños.

Ahí donde lo veis, porque no os recomendamos otra cosa que mirarlo, el brócoli tiene propiedades buenísimas para nuestra salud.

Desde 2009, la Universidad de Yale elabora una lista de alimentos ordenados de acuerdo a su valor nutricional, es decir, lo buenos que son para nosotros y tal, puntuándolos con valores que van del 1 al 100. Pues bien, el brócoli ha sido el único que, año tras año, se ha mantenido con 100 puntos.

MIRAD QUÉ MAJO.

PARECE UN MINIARBOLITO.

Tiene un alto contenido en vitamina C, fibra, nutrientes con propiedades anticancerígenas..., de todo. De verdad, ¡es buenísimo! ¿Por qué algo tan bueno no puede saber..., no sé, a chocolate? **PUES POR MALDAD.**

Nuestro querido amigo el brócoli es tan malvado que ha sido hasta villano de un videojuego, y de un capítulo de las supernenas, en el que el imperio extraterrestre de las verduras planea invadir la ciudad

y el planeta entero mediante plantaciones de brócoli. Es pura maravilla educativa. Los niños son los únicos capaces de detener a estos enemigos, pero solo de una manera..., comiéndoselos. Sutil.

«COMED BRÓCOLI, NIÑOS»

ES MALVADO:

- NO RECICLA.
- NO CEDE EL ASIENTO EN EL BUS.
- DEJA LA TAPA DEL VÁTER SUBIDA.

El brócoli tiene tantos *haters* que es uno de los mayores causantes de la canofobia. Porque como ya demostramos en el capítulo de los lunes, aquí tenemos nombre para todo.

La **LACANOFOBIA** es el miedo irracional y enfermizo a los vegetales. Esto no es tan sencillo como «Ay, es que no me gustan las acelgas», no. Los afectados por esta fobia suelen tener miedo hacia una sola verdura y ni siquiera son capaces de verla, tocarla o estar cerca de ella.

Sinceramente, no entendíamos muy bien cómo puede dar miedo un vegetal, pero acabamos de ver un vídeo en YouTube de una chica con miedo a los pepinos y es escalofriante. ¿Cómo pueden ser tan horribles estos vegetales? ¡Siempre haciéndonos sufrir!

Por otro lado, el brócoli también tiene sus fans. El mismísimo expresidente de los Estados Unidos Barack Obama, ante la pregunta: «¿Cuál es su comida favorita?», contestó: «El brócoli».

Aunque, años antes, otro presidente de los Estados Unidos, George W. Bush, se quedó a gusto diciendo lo siguiente: «No me gusta desde que era un niño pequeño y mi madre me obligaba a comerlo. ¡Soy el presidente de los Estados Unidos y no voy a volver a comer más brócoli!».

Con esta frase armó un jaleo que no veas. Los productores de brócoli se quejaron y enviaron toneladas de este hermoso vegetal a la Casa Blanca, a modo de protesta.

Para terminar, y con el fin de que no envíen toneladas de brócoli a nuestra casa por incitaros a no comerlo, os dejamos a continuación una receta para que os hagáis un poquito de brócoli esta semana. Que lo disfrutéis.

¡RECETA DE BRÓCOLI ASADO! FOR REAL
(Y ESTÁ RICO ♡)

- PRECALIENTA EL HORNO A 250°C (¡QUE ARDA!).
- REPARTE EL BROCOLI EN UNA BANDEJA DE HORNO.
- AÑADE AJO PICADITO (ÑAM).
- ECHA ACEITE (LO JUSTO PARA QUE BRILLE, NO TE PASES).
- SAL Y PIMIENTA AL GUSTO.
- PUEDES PONERLE PARMESANO RALLADO ö (MUCHO).
- HORNEA UNOS 20 MINUTOS, HASTA QUE ESTÉ TIERNO Y CRUJIENTE.

CÓMETELO.

BROCOCHEF

ÉCHALE LIMONCITO

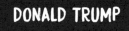

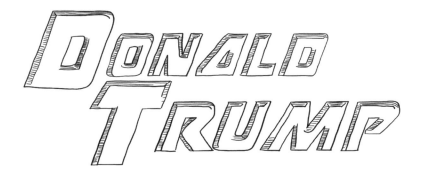

DONALD TRUMP

Ay, Donald, Donald… Evidentemente no estás al nivel de otros de los villanos que salen en este libro, pero si alguien ha conseguido dividir a su propio país como nunca y crear polémica tras polémica de la nada…, ese eres tú.

ESTE DONALD

ESTE NO

Trump lo tiene todo para convertirse en uno de los mayores villanos de la historia moderna…, o al menos en una de las personas menos queridas. No le gustan los refugiados, a los que compara literalmente con «un tazón de caramelos envenenados», tampoco le gustan los musulmanes ni los mexicanos ni los inmigrantes; se ha burlado públicamente de discapacitados y, sobre todo, no para de hacer gala de su más que evidente misoginia.

DLH DLH DLH DLH

COSAS QUE NO ME MOLAN

un blog de
D. TRUMP

-TÚ
-LOS MEXICANOS
-LOS MUSULMANES
EL AUTOR -LOS FRIJOLES
-LOS LUNES

Y es que Trump considera que, por supuesto, puede hacer lo que quiera con las mujeres. Así lo ha dicho, literalmente. Ha sido denunciado varias veces por acoso o violación, no se corta un pelo en besar a una mujer en la boca sin pedirle permiso, e incluso ha llegado a decirle a una niña de diez años: «En una década estaré saliendo contigo». Ni se cortó un pelo en afirmar que su hija Ivana le parece tan atractiva que, si no fuese su hija, estaría saliendo con ella.

En fin…, vamos a destripar a fondo a este hombre.

Donald John Trump nació en Nueva York y, además de ser el actual presidente de Estados Unidos, es un empresario y personajillo televisivo bastante conocido en su país.

Merece la pena destacar lo absurda que es su obsesión por expulsar a los inmigrantes de Estados Unidos, dado que su propia madre era una inmigrante escocesa y sus abuelos paternos fueron inmigrantes alemanes.

Ya apuntaba maneras desde pequeño, pues a los 13 años «dejó» la escuela por problemas de conducta y sus padres le enviaron a la Academia Militar de Nueva York.

Tras su paso por un par de universidades, se graduó con un *Bachelor of Science* en Economía y comenzó sus andanzas en el mundo de los negocios.

Trump no se hizo millonario de la nada: su familia ya era millonaria. Comenzó a trabajar en la empresa familiar, a la que más tarde cambió el nombre a «Trump Organization». Se dedicó a construir, comprar o renovar torres de oficinas, hoteles, casinos y campos de golf como un poseso, hasta que una serie de malas decisiones le llevaron a la bancarrota… Hasta seis veces. Así que eso de «No ha habido nunca nadie tan exitoso como yo» igual no es del todo cierto, Donald.

Como labia no le falta, consiguió salir adelante, pese a su enorme deuda, cediendo acciones y consiguiendo que le diesen más tiempo para pagar sus deudas y le bajasen el interés de los préstamos.

Poco a poco, su situación financiera mejoró y volvió a la carga comprando más y más propiedades, además de adquirir acciones de la Organización Miss Universo.

La verdad es que todo esto es bastante aburrido. Construyó más edificios, compró más cosas, escribió, o más bien «le escribieron», un libro, montó un *reality show* en televisión... y siguió siendo una de las personas más ricas de EE. UU. A ratos, claro; no olvidemos las seis bancarrotas.

Como parece que lo de ser rico le aburría, decidió que ya iba siendo hora de meterse en política. Tras amagar casi una decena de veces con presentarse a las elecciones presidenciales y a las de gobernador del estado de Nueva York, acabó

presentándose como candidato a la presidencia por el Partido Republicano para las elecciones de 2016.

Como todos sabemos y como prácticamente nadie esperaba…, ganó, convirtiéndose en el cuadragésimo quinto presidente de los Estados Unidos.

Y no os creáis que esto de ser presidente ha calmado un poquito sus humos. Él sigue metiéndose con quien quiere y teniendo claro que puede hacer lo que quiera con las mujeres, los inmigrantes o con quien piense de forma contraria a él.

Entre sus muchas promesas electorales, se encuentra la de construir un muro de 1.600 kilómetros en la frontera con México para frenar la inmigración ilegal. Es idea suya, pero, claro, él quiere que lo paguen los mexicanos. Dijo que, si no accedían a hacerlo, iba a bloquear todos los envíos de dinero de los inmigrantes desde EE. UU.

También ha propuesto negar la entrada a Estados Unidos a **TODOS LOS MUSULMANES**, además de querer crear un registro oficial de estadounidenses musulmanes. Como veis, lo de la libertad religiosa no lo lleva muy bien. Bueno, lo de la libertad en general.

En el ámbito militar no se ha quedado tampoco con ganas. Es partidario de enviar las tropas que hagan falta a donde sea, para combatir con quien pueda suponer una «amenaza». Eso sí, sobre todo es partidario de intervenir donde haya pozos de petróleo, que ya se sabe que con eso se puede ganar mucho dinero, y en esos temas no se le escapa una. Si un país no tiene petróleo, aunque sea el principal refugio de uno de los mayores grupos terroristas del mundo, ya no hay tanta amenaza.

¡Ojo, porque hay algo con lo que Trump ha conseguido acercarse a la maldad de algunos de los personajes que salen en este libro! Y es que en alguna ocasión ha dejado claro que «la tortura funciona». Una de las maravillosas frases que dijo en televisión al respecto fue: «Cuando ves al otro bando cortando cabezas, el *waterboarding* no suena tan mal». Para que os hagáis a la idea de la magnitud de esto, el *waterboarding* es una técnica de tortura que empezó a utilizar la Inquisición española. Entonces se la conocía como «tormento del agua», y es que esta animalada consiste en crear la sensación de ahogamiento metiéndote la cabeza en un cubo de agua repetidamente. Esta técnica se fue perfeccionando con el tiempo y se acabó convirtiendo en una de las favoritas de la CIA, que le cambió el nombre a algo más comercial.

Como veis, seguro que Trump se lo pasaría pipa compartiendo una buena charla con nuestra querida villana Isabel Bathory, e intercambiando formas de torturar a quien les molesta.

Donald Trump acumula un montón de «cualidades» que probablemente lo alejan totalmente de lo que debería ser un buen presidente, y os las vamos a enseñar en esta maravillosa guía de «¡Cómo ser el peor presidente de la historia!».

CÓMO SER EL PEOR PRESIDENTE DE LA HISTORIA

1. CREER QUE SABES DE TODO

Si quieres ser mal presidente, es importante que no hagas ni caso de médicos o científicos y expreses continuamente estupideces como que las vacunas están relacionadas con el desarrollo del autismo.

2. NEGAR EL CAMBIO CLIMÁTICO

Definitivamente, los científicos no tienen ni idea de nada, así que también es importante negar tonterías ampliamente demostradas como el calentamiento global. Si además tienes las narices de decir públicamente que todo es un invento de los chinos, o sacas beneficio económico de ello, ganas puntos para el ranking de peor presidente.

3. ACOSAR SEXUALMENTE

En este apartado, Trump ha querido ganar puntos extra, llegando a ser acusado de agresión y acoso sexual por, al menos, quince mujeres desde 1980. Da igual que quieras ser presidente o jugador profesional de ping-pong, porque el acoso es algo que no debemos permitir en ningún ámbito de nuestra sociedad.

4. LIARLA EN TWITTER

Las nuevas tecnologías son muy importantes, y estar al día en el uso de las redes sociales es esencial para ser un mal presidente. ¿Diplomacia? ¿Qué es eso? Da puntos extra llamar «gordo y bajito» al presidente del país que menos te gusta.

5. NO ESTAR PREPARADO ACADÉMICAMENTE NI TENER IDEA DE NADA (INCLUIDA GEOGRAFÍA BÁSICA)

A pesar de que esto sea algo importante, si te votan te han votado. No sé, EE. UU., igual hacer presidente a un tipo con seis bancarrotas, que no sabe nada de política, no es la mejor idea del mundo.

6. INSPIRAR DESCONFIANZA

Está claro que es muy importante que los miembros de tu gobierno u organizaciones de inteligencia se fíen de ti. Si quieres ser buen presidente, claro..., si

no, no. Trump ha querido, de nuevo, ganar puntos extra en este apartado habiendo conseguido que más de 20 personas hayan abandonado su equipo de gobierno y sus puestos de asesoría solo en su primer año como presidente.

7. CARGARTE LA SANIDAD DE TU PAÍS

Si de verdad quieres entrar en la presidencia por la puerta grande, lo mejor que puedes hacer es quitarle la cobertura sanitaria a más de 20 millones de ciudadanos de tu país. Es totalmente lógico y normal.

8. INVENTARTE UNA REALIDAD PARALELA

En palabras de Trump: «Tú lo dices y ellos se lo creen». Esto explica muchas cosas de su campaña electoral.

AMELIA DYER

AMELIA DYER

Al lado de Amelia Elizabeth Dyer, Jack el Destripador no es **NADIE**.

Esta «agradable» señora es una de las mayores asesinas en serie de la historia. Su afición era asesinar a los niños que dejaban a su cuidado, llegando a terminar con la vida de probablemente 400 o más bebés.

> ... y 400!

Todo esto ocurrió en Reino Unido, en la época victoriana. Esto viene a ser cuando reinaba Victoria I (tampoco se rompieron mucho la cabeza los historiadores). En fin, este ser estuvo matando niños durante unos veinte años sin que nadie se enterase... Más bien porque nadie le prestó mucha atención, ya que incluso pasó por la cárcel y un psiquiátrico..., pero, nada, la soltaban para que siguiera con lo suyo.

> ¿OYE, A ESTA POR QUÉ LA TENÍAMOS?

> YO QUÉ SÉ...

Durante esos veinte años se mudó muchas veces, y su forma de exterminar bebés fue cambiando según las circunstancias. Vamos a hablar un poquito de su vida.

Amelia era la pequeña de cinco hermanos y nació en un pequeño pueblo cercano a Bristol en 1836. Su infancia estuvo marcada por el estado de salud de su madre, quien tenía violentos ataques tras haber contraído tifus. Amelia se vio obligada a cuidarla hasta que murió en 1848.

Tras la muerte de su madre vivió con su tía, y al final se acabó mudando a otro sitio y se casó con un tal George Thomas. Esto no tiene nada que ver con su implacable sed de sangre, pero es gracioso deciros que ambos mintieron sobre su edad al casarse. George tenía 59 años y ella 24, así que él se quitó once añitos y ella se sumó seis.

Después de casarse con George, empezó a formarse como enfermera y descubrió que podía ganarse la vida usando su casa para albergar a mujeres que estuvieran embarazadas de forma ilegítima, para que diesen a luz allí. Entonces estaba muy mal visto que tuvieras un bebé sin estar casada, e incluso la ley decía que el padre no tenía ninguna obligación sobre un hijo ilegítimo. Además de atender a las mujeres durante el parto, Amelia y George también «cuidaban» de los bebés después del mismo.

Al parecer, esto se convirtió en un negocio bastante lucrativo por aquella época... Además, dependiendo de tu poder adquisitivo o de si te interesaba mantener en secreto el nacimiento de un hijo ilegítimo, te cobraban más o menos.

Si los bebés lloraban mucho o daban guerra, era habitual que los sedasen con alcohol o con el llamado «Godfrey's Cordial», conocido coloquialmente como «el amigo de las madres», una especie de jarabe que contenía opio.

Niños, no juguéis con el opio. Evidentemente esto causó la muerte de muchos bebés, pues los pobres estaban tan drogados que no querían ni comer.

Cuando las madres volvían a ver a sus hijos, cosa que, ojo, no hacían todas, ya que a muchos los dejaban allí porque no los querían, encontraban muchas dificultades para verlos..., pero nadie avisaba nunca a la policía.

Bueno, que nos distraemos. Amelia aprendió todo esto trabajando con una especie de ginecóloga de la época, con la que estaba formándose como enfermera (ni universidad ni nada, eso era la ley de la jungla), pero, tras el nacimiento de su hija, Ellen Thomas, tuvo que dejarlo.

En 1869 murió su anciano marido, George, y, claro, Amelia necesitaba ingresos, así que se le ocurrió un plan maligno.

La idea era montar su pequeño negocio de cuidar y adoptar niños a cambio de dinero, pero para dar confianza a los padres tenía que demostrar que era una mujer respetable y casada, con un hogar feliz en el que dar todo tu amor a esos niños; así que Amelia se casó con William Dyer, un señor de Bristol con el que tuvo dos hijos.

Como no quería malgastar el dinero que le daban para cuidar a los bebés, decidió que lo mejor era matarlos cuanto antes, y eso que se ahorraba.

Y, **POR FIN**, parece que a alguien le llamó la atención que murieran tantos niños en aquel hogar de acogida. Un doctor empezó a sospechar, debido a que le llamaban continuamente para certificar las muertes, y la denunció. Sorprendentemente, solo fue sentenciada a seis meses de trabajos forzados. La verdad es que la policía pasaba un poquito del tema…

Cuando terminó con la condena intentó volver a trabajar como enfermera, pero nada, volvió a ~~cuidar~~ matar niños de vez en cuando. Tan pronto como veía que la cosa se ponía chunga, acababa, sospechosamente, pasando una temporada en un hospital psiquiátrico debido a su inestabilidad mental y tendencias suicidas.

De tanto dar alcohol y opio a los bebés, no pudo resistirse y ella misma acabó volviéndose adicta a ambos. Cada vez estaba peor, pobre mujer.

Al final, en 1890, una institutriz dejó a su hijo ilegítimo a su cuidado, pero, cuando volvió a visitarle, se dio cuenta de que Amelia le había dado el cambiazo por otro bebé. Al niño le faltaba una marca de nacimiento en la cadera.

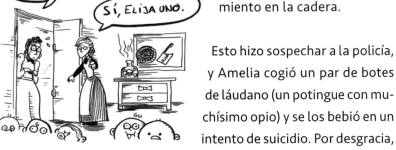

Esto hizo sospechar a la policía, y Amelia cogió un par de botes de láudano (un potingue con muchísimo opio) y se los bebió en un intento de suicidio. Por desgracia, su cuerpo se había acostumbrado a cantidades ingentes de esta droga debido a su adicción y sobrevivió.

Entonces debió de pensar: «Mira, de perdidos a río», y volvió a matar niños como si no hubiese pasado nada. Como llamar a doctores para certificar las muertes podía resultar sospechoso, decidió que ya se encargaría ella de los cuerpos. De hecho, lanzó algún que otro cadáver al río Támesis para deshacerse de él.

Evidentemente, sus prácticas llamaban la atención de las autoridades, así que estaba atenta a la policía y a los padres que podían volver para reclamar a sus hijos, y en cuanto veía que la cosa peligraba... ¡Ale! ¡Mudanza!

Por aquel entonces todavía seguía con su marido, William, pero no sabemos si él estaba al corriente del *hobby* de su mujer. Al final, ella lo acabó abandonando. Matar niños exige mucha dedicación y no está una como para cuidar a mariditos.

En marzo de 1896, un pequeño paquete fue encontrado en el río Támesis con el cuerpo de un bebé. Amelia le había puesto peso para que se hundiese, pero igual iba con prisa y al final le salió fatal la jugada.

Esto llevó a la policía de nuevo hasta ella, aunque aún no tenían pruebas sólidas para conectarla directamente con el crimen. Así que usaron a una joven para que, haciéndose pasar por una posible clienta embarazada, se diese un paseíto por la casa de Amelia para ver cómo estaban las cosas por allí.

Muy bien no estaban, como ya podréis imaginar.

Cuando la policía entró por fin en la casa se encontraron con un fuerte olor a descomposición, aunque no encontraron restos humanos. Lo que sí hallaron fue un montón de acuerdos de adopción, recibos y cartas de madres preocupadas por sus bebés. Fue arrestada y acusada de asesinato.

Durante el mes siguiente, la policía encontró seis cuerpos más en el río, todos ellos estrangulados con una cinta blanca. Tal y como ella misma dijo a la policía: «Así es como sabréis que es uno de los míos». Vaya angelito.

Escribió una confesión en la que exculpó totalmente a sus hijos y a su marido de sus crímenes, y basó su defensa en sus problemas de salud mental, argumentando que había estado un par de veces interna en hospitales psiquiátricos.

CONFESIÓN
NOMBRE: AMELIA DYER
EXPONE:
TOY MU
LOCA.
FDO
Amelie

Sin embargo, la investigación concluyó que no estaba tan mal y que, claramente, había utilizado sus internamientos en estos centros para «desaparecer» durante un tiempo cuando las cosas se ponían chungas.

Al jurado le bastaron 4 minutos y medio para declararla culpable y sentenciarla a la horca.

QUE COMIENCE LA SESIÓN.

CULPABLE

PFF, PUES VALE.

Sus últimas palabras fueron «No tengo nada que decir», y eso mismo os decimos nosotros, no tenemos nada más que decir sobre esta mujer tan cariñosa.

Os dejamos con algunos consejitos que seguro que os van a venir bien para no dejar a vuestros hijos en cualquier sitio.

Guía para elegir GUARDERÍA

1. NO DEBE OLER A DESCOMPOSICIÓN

Si detectas un olor sospechoso, ya sabes, ese no es el mejor sitio para dejar a tu bebé.

2. NO DEBE TENER ESTANTERÍAS LLENAS DE ALCOHOL U OTRAS SUSTANCIAS

Por raro que le parezca a las simpáticas «enfermeras» inglesas del siglo XIX, no es normal encontrar este tipo de cosas en un hogar para cuidar niños.

3. SUELE HABER OTROS NIÑOS

Esto es importante, porque, si no hay..., igual es por algo.

4. QUE NO TE CAMBIEN AL NIÑO

Esto es algo que deberíais comprobar el primer día. Os recomendamos escribir «Este es mi niño» en la espalda de vuestro bebé con un rotulador permanente. No lo escribáis en la pierna o lo verán al limpiar su caquita.

5. NO DEBERÍA IMPORTARLES LA LEGITIMIDAD DE TU BEBÉ

No deberían cobraros más para mantener en secreto a ese pequeño John Snow que has tenido fuera del matrimonio.

EL COCO

el CoCo

Duérmete, niño,
duérmete ya,
que viene el Coco
y te comerá.

OTRA NANA IGUAL DE
VÁLIDA PODRÍA SER:

DUÉRMETE
NIÑO ♪
O TE PARTO ♪
LAS PIERNAS.

TAP
TAP

PERO ¿QUÉ CLASE DE NANA ES ESTA?

¿A quién se le ocurrió que esta era una buena forma de tranquilizar a un niño para que se duerma?

Pues al parecer fue a nosotros, los españoles. Bueno…, más bien a nuestros antecesores celtas. Vamos a ver de dónde salió este pequeño villano *asustaniños*.

TÍPICA MADRE
CELTA

¡DUERME, HIJO!

¡AAAAGH!

El Coco es un ser maligno cuya única motivación es meter miedo a los niños, sin más. Eso sí, siempre con un objetivo concreto: que te duermas. Si no quieres dormir, viene el Coco y te come, así que más vale que te duermas rapidito o no lo cuentas.

Es uno de los integrantes de la terrorífica lista de «asustadores de niños», una serie de personajes inventados por los adultos con el propósito de que cumplan las normas o eviten situaciones peligrosas.

El origen de este personaje viene, por raro que parezca, de las calabazas que vaciamos y a las que dibujamos caras terroríficas en Halloween. El Coco se representaba con una calabaza vacía a modo de cabeza, con tres agujeros haciendo sus ojitos y su boca.

Saber de dónde viene su nombre ya es algo más complicado y hay muchas posibilidades.

Se dice que los hombres del almirante portugués Vasco de Gama llamaron así al fruto que lleva el mismo nombre que nuestro villano,

debido a sus similitudes con este personaje. Por eso de que tenía cáscara y tres agujeritos… Tampoco es que en lo demás se pareciese.

También sabemos que, coloquialmente, se llama «coco» a la cabeza, así que no parece descabellado que a un monigote con una cabeza gigante hecha de calabaza se le llamase Coco.

Parece también que, casualmente, es una palabra que ha surgido en muchas lenguas distintas a la vez, generalmente con el significado de «objeto esférico».

Su maravillosa y eficiente capacidad para hacer dormir a los niños ha hecho que sea una figura típica en América Latina y España, aunque se le conoce con distinto nombre dependiendo del país:

CUCO	ARGENTINA, BOLIVIA, CHILE, ECUADOR, PANAMÁ, PERÚ, PUERTO RICO, URUGUAY Y REPÚBLICA DOMINICANA.
COCO	PORTUGAL, ESPAÑA, COSTA RICA, COLOMBIA, MÉXICO, GUATEMALA Y VENEZUELA.
CUCA	BRASIL.
CUCU	PARAGUAY.

Independientemente de cómo lo llames, lo que importa es que da muy mal rollo. Tradicionalmente se le conoce por esconderse en sitios oscuros, esperando a que un niño se porte mal para asustarlo o comérselo. Una de sus tácticas más comunes es sacar el brazo por debajo de la cama y enganchar un pie.

Pero, a pesar de todo el miedo que nos da, nadie tiene claro cómo es físicamente el Coco. Esto es porque el Coco esta hecho de la oscuridad más profunda y puede moldearse como le dé la gana para darte el máximo miedo posible. ¿Te dan miedo los pájaros? ¿Y los payasos? No tienes escapatoria.

↳ POSIBLES IDENTIDADES

1. MONSTRUO COMÚN

BLERP

GORDITO

2. VERSIÓN GAMER

3. VERSIÓN CONEJO

TIENE UN COCO EN LA CABEZA

Hasta la fecha, el testimonio más antiguo en lengua castellana de la existencia del Coco se encuentra en el *Cancionero* de Antón de Montoro, de 1445, señor que probablemente de pequeño no dormía mucho, y acabó traumatizado al ser amenazado noche tras noche con morir devorado.

¿QUÉ ESCRIBES?

ALÉJATE POR FAVOR

REMEDIOS PARA AHUYENTAR AL COCO:

1. Dibujar un círculo mágico protector alrededor de la cama.

2. Tirarle un coco. **NO SE LO ESPERA.**

3. Tirarte un pedo en su cara, eso le demostrará tu desprecio.

4. Pegarle una paliza, aunque esto no es lo más recomendable.

Queridos amigos de *Destripando la Historia*,
lamentamos decir que...

¡HA LLEGADO EL FINAL!

Nos gustaría dar las gracias a todos aquellos que han
hecho posible que DLH llegue hasta aquí.

Si has comprado este libro sin conocer previamente
Destripando la Historia, te invitamos a que busques
nuestras canciones en Youtube...

¡Descubrirás que DLH
es mucho más que un libro!

Escanea este código y...
¡A disfrutar!

¡NUNCA TE HAN CONTADO LA HISTORIA DE ESTA FORMA!

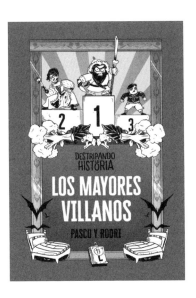

DESTRIPANDO HISTÓRIA

LOS MAYORES VILLANOS

PASCU Y RODRI

DESTRIPANDO HISTÓRIA

LAS AUTÉNTICAS PRINCESAS

PASCU Y RODRI

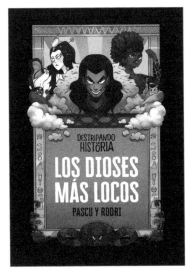

DESTRIPANDO HISTÓRIA

LOS DIOSES MÁS LOCOS

PASCU Y RODRI

DESTRIPANDO HISTÓRIA

LOS HÉROES MÁS ÉPICOS

PASCU Y RODRI

ALFAGUARA